W9-CST-196

Max ne respecte rien

Série dirigée par Dominique de Saint Mars

© Calligram 2006
Tous droits réservés pour tous pays
Imprimé en Italie
ISBN : 2-88480-307-6

Ainsi va la vie

Max ne respecte rien

Dominique de Saint Mars

Serge Bloch

CALLIGRAM

CHRISTIAN GALLIMARD

* Roméo et Juliette est une pièce de théâtre écrite par l'auteur anglais W. Shakespeare.

Dégage minus, j'ai faim !
T'en profites !

Rien à dire, c'est moi le plus grand !
Viande pour moi !

Ici ce n'est pas la loi du plus fort ! Et on dit s'il vous plaît !
Ça va, vous n'êtes pas ma mère !

Retire ça tout de suite ou tu es puni.
Bon, excusez-moi, voilà !

Max... c'est pas ma faute si Juliette ne s'est pas mise à côté de toi ! C'est la plou-belle de ta vie, mais tu es la poubelle de sa vie !

C'est méchant, Lili !

Tu me le paieras !

*Voir le livre *Max embête les filles* !

Et moi je suis payé pour t'apprendre le respect ! Tu vas débarrasser tout ce qui traîne !
Les autres miettes, c'est pas à moi !
Et ça, c'est du respect de me tirer par les oreilles ?
T'as fini ? On se fait un foot ?
Pffft ! Je suis coincé Jérôme, et même pas payé !

MARRE, MARRE, marre d'avoir raté le foot !
WLAM!

Encore toi !? Et tu détériores le matériel de l'école !

Et t'as pissé partout ! Non mais tu vas voir, graine de délinquant ! Cette fois, c'est le directeur !
Oh, faites pas ça Monsieur, donnez-lui une chance ! Une punition, ça suffit !
Je m'excuse !

Bon, Max, tu as de la chance d'avoir un bon copain !

Merci, c'est cool ! Allez, shake !
Attention, Max, je ne suis pas ton « pote » ... Chacun à SA place !

Vite, Max, le bus !
Tu ne rentres pas avec moi ?
Non, Jérôme, on va chez Popi et Mamie, mais on se verra demain. Rendez-vous à la cabane à trois heures ?

Ok ça roule ma poule ! Shake !

Je viendrais peut-être à la cabane... Max !

Tout le monde te regarde... Tes chaussures... Arrête, Max, c'est la honte !

Qu'est-ce qui te prend ? T'es folle ?
Max, tu te tiens mal et en plus tu prends toute la place !

Fais pas ta Mère La Morale ? Ça gêne personne...

Madame, vous voulez ma place ?
Non, non, ça va ! Je ne suis pas si vieille que ça !

Tu as vu ça, elle s'en fiche, la vieille dame. Ce qu'elle veut, c'est être jeune !
Elle n'a pas de cheveux blancs ! On ne sait plus quel âge elles ont, les vieilles personnes !

Salut Mamie!
Dis donc, on ne dit pas salut à sa grand-mère, Max ! On dit bonjour Mamie !

Salut les enfants !
Ah... Chacun SA place... Chacun SES droits !

Première fois que je vois Popi laisser SON fauteuil... !
C'est pareil, non ? !
C'est pas grave !
Tu n'es pas trop fatiguée Mamie ?
C'est ça, lèche-botte ! Hop, à la cuisine, chacun à sa place, tiens !
Un peu irrespectueux, Max... Je me demande s'il n'est pas influencé par des grands, ou sa mère n'est pas assez ferme !?
Tu me parles, ma chérie ?
Pourquoi les hommes n'entendent-ils jamais ?

LE LENDEMAIN...
Allez Popi, démarre, c'est vert... Tu conduis comme un pépé !
C'est pas à toi de commander Popi !
On verra comment tu conduiras, toi, à son âge !
Moi, j'aurai une moto !

Max !!!! Tu sais combien de temps ça m'a pris de plier tout ce linge ? Tu crois que je n'aimerais pas mieux me reposer un peu... ?
Oh, Maman... J'ai pas fait exprès... Le canapé rebondit tellement bien, c'est rigolo !

Eh bien moi, je ne trouve pas ça rigolo du tout, il faut que je recommence !
Désolé Maman, je ferai attention la prochaine fois !

C'est ça ! Compte dessus ! C'est vraiment un « boulet » ce Max ! Il n'arrête pas de me faire honte, ton fils ! C'est un porc !
Hé, doucement, Lili ! Ne parle pas comme ça de ton frère, c'est méprisant ! Un peu de respect !
Et LUI respecte ton travail, ÉVIDEMMENT !
Tu ne me parles pas comme ça, Lili...
Et tu as déjà remarqué comment, moi, j'étais avec Mamie ?
C'est vrai ! Tu lui donnes toujours le morceau de poulet qu'elle préfère...
Respecter les autres, c'est encore le meilleur moyen de se faire respecter !

Et HOP !
Goujat !

Mes respects, Mamie !

?!

Papa, MOI et TOI, on avait dit qu'on irait au ciné ! C'est quand ?
Monsieur « MOI D'ABORD », on ira au ciné TOI et MOI ! Je tiens mes promesses, enfin j'essaie !

À l'école, j'ai eu un contrôle sur la leçon que...
Eh ben moi, en poésie, elle m'a dit que je bafouillais moins.

Max, tu vas nous raconter ça, mais laisse finir Lili... On t'écoute Lili !

Pourquoi tu prends tout ça ? Et sans demander en plus !
Ben... je vais à la cabane avec Jérôme...
Elle sera contente, Juliette...
Si tout le monde faisait ça... bravo !
De quoi on se mêle ?!

Barbara, si je peux me permettre, vous devriez peut-être dire quelque chose à Max, sinon il va finir par se croire tout permis ! ...
Maman a raison, on l'excuse trop et il n'écoute rien...
Oh, c'est encore un enfant !

Si tu m'y autorises, je veux bien lui parler !
Ah, ça alors !
?!
Bonne idée, Papa ! Pour une fois, je ne serai pas le Père fouettard !

PENDANT CE TEMPS...
J'ai tout préparé ! Mais ils m'ont oublié, les traîtres !
Juliette aussi...
CRAAACK !
Ah, tout de même !

Oh, c'est toi Popi ? Mais qu'est-ce que tu fais là ?
Je voulais discuter avec toi, mon petit bonhomme !

Pourquoi ? C'est à cause de la médaille de judo que je t'ai prise ?
Je ne savais même pas que tu me l'avais « empruntée » !

Justement, je voulais te parler de tout ça, Max ! Je peux m'asseoir ?
Installe-toi, Popi !

Depuis ce matin, tu as bousculé Mamie, tu as coupé la parole à Lili, tu t'es servi tout seul...
... Mon petit Max, le respect, c'est plein de petits riens qui changent la vie. Moi, c'est le judo qui me l'a appris.
... Ça m'a appris la modestie aussi, il y a un vrai plaisir à laisser passer l'autre en premier.
Moi, si je fais du karaté, c'est pour gagner !

Gagner... ? Le respect...
Moi, dans le judo, j'ai appris que chaque être vivant a de la valeur. Chaque objet aussi car il est fait du travail des autres...
Dans le judo, d'accord, mais dans la vie, moi j'en ai marre ! On fait que de m'embêter en me traitant de malpoli...
Les règles de politesse, ça aide à vivre ensemble...

Il faut avoir de l'attention pour tout ce qui t'entoure, essayer de comprendre les autres !
Et moi, qui me comprend ? Et il y en a plein qui ne m'aiment pas, alors j'ai pas envie de respecter...
Alors, qui doit commencer ?
Le plus dur, c'est d'arriver à se faire respecter ! Si je suis le plus fort, moi, j'hésite pas !
Pas d'accord avec toi, Max ! On n'est pas des animaux ! Ce n'est pas la loi de la jungle. Le respect, c'est plutôt le droit du plus faible !

Si tu traites mal quelqu'un, il se sent mal !
Je comprends, Popi, mais alors tu ne vas pas me gronder pour la médaille ?
Ce que je suis en train de te dire est beaucoup plus important, tu sauras tout seul ce que tu dois en faire. Je te fais confiance !
Merci Popi, tu es mon honorable maître !
Prends soin de toi, mon grand !

Je t'ai attendu, j'avais tout préparé ! Tu ne m'as pas prévenu et je te retrouve ici avec Koffi ! Je compte pour du beurre moi ??? C'est ça ?
Pas fait exprès, j'ai pas vu l'heure, sorry !

Excuse, Max je ne savais pas !
Et toi, t'es vraiment pas un pro du respect !
À propos, Juliette m'avait dit de te dire qu'elle ne pouvait pas venir...
Et toi, tu ne me l'aurais pas dit...
Ah... Elle ne m'avait pas oublié...
Excuse-moi ! Allez, Max, viens sur mon skate, on fait un tour !
On y va les gars ?

Ah les vandales ! Ce n'est pas à moi de descendre du trottoir quand même !
Soyez pas méchante ! On l'a pas fait exprès !
Moi, méchante, c'est un comble !
Regardez notre ollie ! On devient hyper-balèzes !
En plus, faudrait les admirer !
Essayer de comprendre les autres...
Madame, on vous a fait peur, excusez-nous !

Regardez plutôt... les délinquants de la planète ! Et c'est des grandes personnes !
Je me demande s'il s'en rend compte... qu'il nous pollue...!!?
Oui, le respect, ça s'apprend toute la vie... Au revoir les enfants !

Ça fout la trouille !
C'est pas comme ça qu'ils vont se faire respecter...

Pluche, tu n'es pas très obéissant ces derniers temps ! Et regarde-moi quand je te parle !
?!

Il me traite comme un chien, ma parole !
GRR

Oh, pardon Pluche, tu as reçu la porte sur le nez... J'ai pas fait exprès. Excuse-moi, mon doudou. Je t'adore... Je t'ai fait mal ?

Maman, est-ce que je peux aller chercher le pain ?
... Et j'aurais peut-être un petit bonbon...
Dis, Maman, on nous l'a changé... !

Trois baguettes !
Je crois que Monsieur était avant vous, désolée !
J'ai envie de l'embrasser, la boulangère !

Euh, oui... C'est à moi... mais si Monsieur est pressé...
Mais non... Je vous en prie... Monsieur...

Une baguette bien cuite, s'il vous plaît !
Merci, au revoir madame, encore merci !

Max, mon chou, pourrais-tu me rapporter un verre d'eau ?
Madame est servie !
Merci, mon ami. J'ai oublié mon walkman en bas, tu peux aller me le chercher... ?
NON, mais pour qui tu me prends ?
Pour un égoïste !
NON, pour un esclave !

Respecter les autres, d'accord ! Mais je sais aussi me respecter ! Parce que je le vaux bien !
Ok Max, t'as raison ! Il faut savoir dire NON ! T'es plus un boulet, va !
Merci ! D'ailleurs Lili, à partir d'aujourd'hui, tu pourrais m'appeler MONSIEUR ? !

Et toi...

Est-ce qu'il t'est arrivé la même histoire qu'à Max ?

Tu ne penses pas à ce que ressentent les autres ?
Tu t'en fiches ? On dit que tu es méprisant ?

Est-ce qu'il y a des gens que tu ne respectes pas ?
Sais-tu pourquoi ?

Es-tu agressif envers les autres ?
Parce que tu as peur d'eux ? Pour voir si on t'aime ?

Pour toi, se faire respecter, c'est se faire craindre ?
Et respecter, c'est se faire avoir ?

Tu ne te sens pas respecté ? Es-tu humilié ? Dans ta famille, à l'école ? As-tu eu envie de te venger ?

As-tu été puni ? As-tu compris pourquoi ?
As-tu su réparer ton manque de respect ?

Respecter, c'est quoi pour toi ? Ecouter, avoir de l'attention, de l'estime ? Suivre les règles pour vivre ensemble ?

Trouves-tu que tu as de la valeur ? As-tu confiance en toi ? Sais-tu t'excuser quand tu as tort ?

Peux-tu dire NON à quelqu'un que tu respectes, si ce qu'il te demande te gêne, te semble injuste ?

Ne penses-tu pas que, parfois, pour respecter, il faut désobéir ? Trouve un exemple !

Es-tu respecté ? Par tes parents ? Tes frères et sœurs ? À l'école ? Qui te respecte le mieux ? Que ressens-tu ?

Es-tu choqué par le manque de respect ? Des adultes ? Des enfants ? Dans la rue ? À la télé ? Dans le sport ?

Petits conseils Max et Lili sur le respect

• Le respect, c'est la politesse, bonjour, merci, mais aussi les petits signes, les petits gestes qui montrent à l'autre qu'il existe : c'est le contraire de l'indifférence !

• On respecte les personnes, et aussi l'environnement, les animaux, les lois, ce qui appartient à tous, ce qui appartient aux autres.

• On est tous différents : les filles, les garçons, les petits, les grands, les gros, les maigres, les noirs, les blancs, les handicapés, les malins, les distraits, les fragiles, les musclés... et on a tous droit au respect !

• Fille ou garçon, il faut se respecter, sans utiliser la force ou l'humiliation et apprendre à se connaître.

• Les enfants ont droit au respect de leurs parents et de leurs professeurs, mais ils doivent aussi les respecter.

• En sport, fais de ton mieux et sois bon joueur. Gagnant ou perdant, tu gagneras le respect de l'autre !

• Les problèmes ne sont pas résolus par la bagarre et les insultes, mais par le respect et l'écoute.

• Ne reste pas indifférent : si tu es témoin ou victime d'une injustice, proteste, parles-en !

• Les grands ne doivent pas abuser de la faiblesse des petits. C'est à eux de donner l'exemple et de les aider.

• Respecte-toi ! Ça se verra ! Et les autres te respecteront !